HAY UN ESTEGOSAURIO EN LAS ESCALERAS

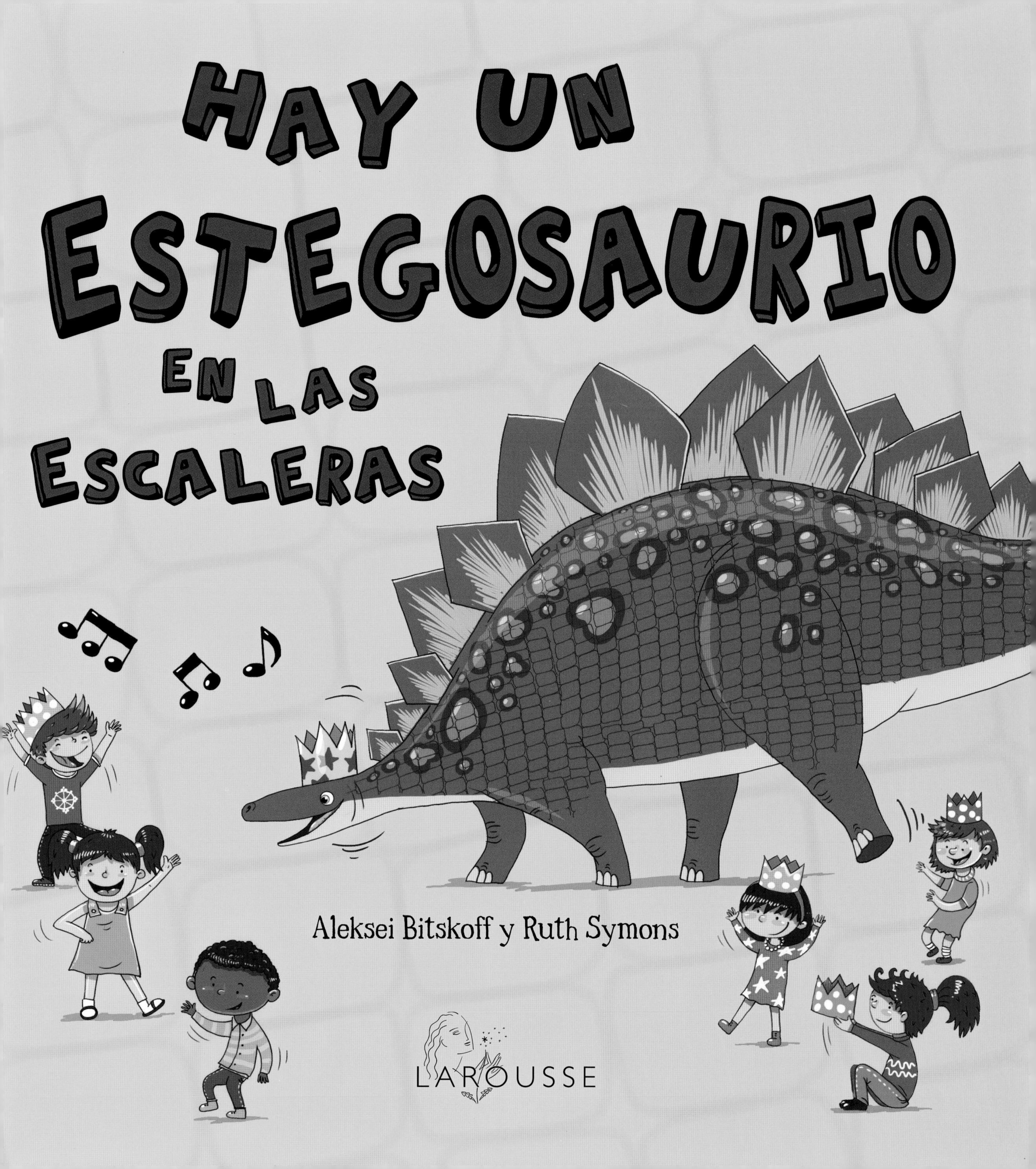

Aleksei Bitskoff y Ruth Symons

LAROUSSE

El estegosaurio era un **gran** dinosaurio

que comía plantas; tenía una fila de

EDICIÓN ORIGINAL
Diseño: Duck Egg Blue
Gerente editorial: Victoria Garrard
Gerente de diseño: Anna Lubecka
Experto en dinosarios: Chris Jarvis

EDICIÓN EN ESPAÑOL
Dirección editorial: Tomás García Cerezo
Gerencia editorial: Jorge Ramírez Chávez
Traducción: E.L., S.A. de C.V., con la colaboración de Adriana Santoveña Rodríguez
Formación: Susana C. Cardoso Tinoco
Corrección: Alma Martínez Ibáñez
Adaptación de portada: E.L., S.A. de C.V., con la colaboración de Sergio Ávila Figueroa

Título original: *There's a Stegosaurus on the Stairs*

Publicado originalmente en Reino Unido en 2013 por QED Publishing
A Quarto Group company
230 City Road
Londres ECIV 2TT

PRIMERA EDICIÓN, septiembre de 2013

ISBN 978-1-78171-480-5 (QED)
ISBN 978-607-21-0781-6 (Ediciones Larousse)

Impreso en China – *Printed in China*

placas óseas en la espalda.

Vivió hace alrededor de **150 millones** de años, muchos millones de años antes de que aparecieran los primeros humanos.

¡Pero imagina qué pasaría si el estegosaurio viviera ahora! ¿Cómo se las arreglaría en la vida moderna?

¿Y si el estegosaurio fuera a jugar al parque?

Necesitaría un amigo grande para balancearse en el sube y baja. Pesaba casi 5 toneladas, ¡eso es lo que pesa un elefante!

¿Y si el estegosaurio fuera a la escuela?

Es probable que no pudiera seguir el ritmo de la clase. ¡Su cerebro sólo medía lo que una mandarina!

¿Y si el estegosaurio fuera a un viaje escolar?

Siempre permanecería con el grupo. Las familias de estegosaurios vivían en grandes manadas, lo cual los mantenía a salvo de los depredadores.

¡Así que el estegosaurio sabe que no es seguro alejarse!
BITSHOFF

¿Y si el estegosaurio saliera a dar un paseo?

No cabría en la banqueta. Con sus 9 metros de largo y 2 metros de ancho, ¡era tan...

grande

como un autobús!

Si caminara por la calle, causaría un embotellamiento. Sólo podía caminar a 8 o 9 kilómetros por hora, apenas un poco más rápido que tú.

¿Y si el estegosaurio fuera a una fiesta?

¡Podría utilizar su gran cola puntiaguda para romper la piñata y quedarse con todos los dulces!

El estegosaurio tenía cuatro grandes

púas

en la cola. Cada púa era tan grande como tu brazo.

Y la gelatina realmente se **tambalearía** cuando empezara a bailar.

¡El estegosaurio pesaría
más que el resto de los
asistentes a la fiesta juntos!

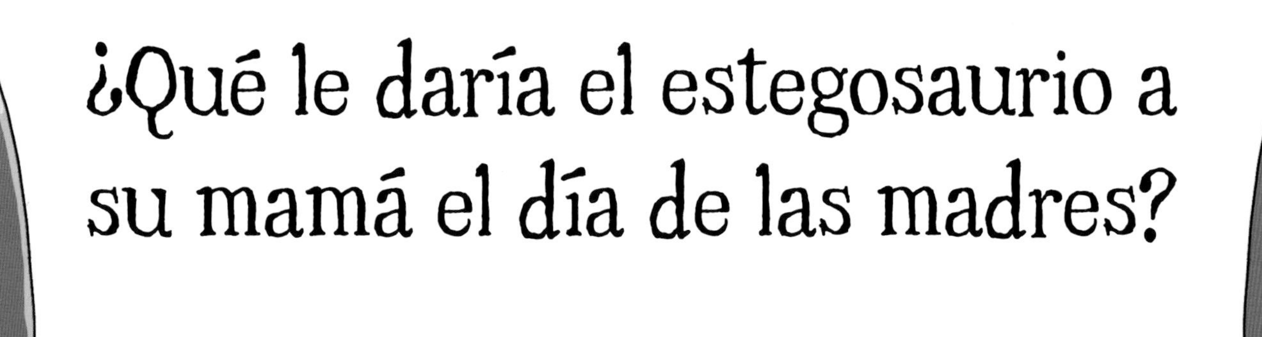

¿Qué le daría el estegosaurio a su mamá el día de las madres?

Podría usar su

hocico afilado

para cortarle un ramo de flores.

Su hocico era
perfecto
para cortar tallos
de plantas y...
¡saborearlos!

¿Y si el estegosaurio se sentara en un cojín de broma?

¡Pfffffffffffffffffft!

Se sentiría tan apenado que se sonrojaría, ¡pero no en las mejillas!

La sangre podía fluir a las

grandes placas

en su espalda.

¡Esto ocurría cuando

estaba asustado,

emocionado o incluso

avergonzado!

¿Y si el estegosaurio fuera al supermercado?

Podría oler la fruta más madura y deliciosa.

El estegosaurio tenía un sorprendente sentido del olfato...
...¡era mucho mejor que su vista!

¿Y si el estegosaurio tuviera sueño?

Probablemente dormiría acurrucado de lado, como los elefantes y otros animales grandes de la actualidad.

También podría tomar la siesta
parado en sus cuatro patas,
como aún hacen los
rinocerontes, los caballos y
otros animales.

El esqueleto de un estegosaurio

Todo lo que sabemos sobre el estegosaurio es por los fósiles, esqueletos que han estado enterrados durante miles y miles de años.

Los científicos pueden estudiar los fósiles para imaginar cómo vivían los dinosaurios en el pasado.

Eso quiere decir que sabemos mucho sobre los dinosaurios, ¡aunque nadie ha visto ninguno!

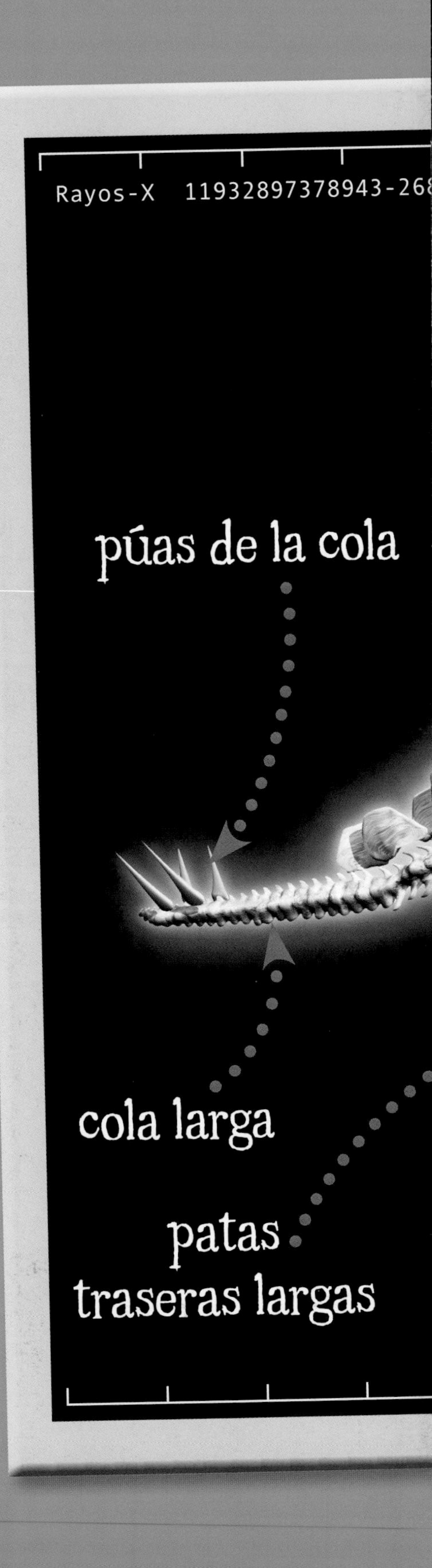

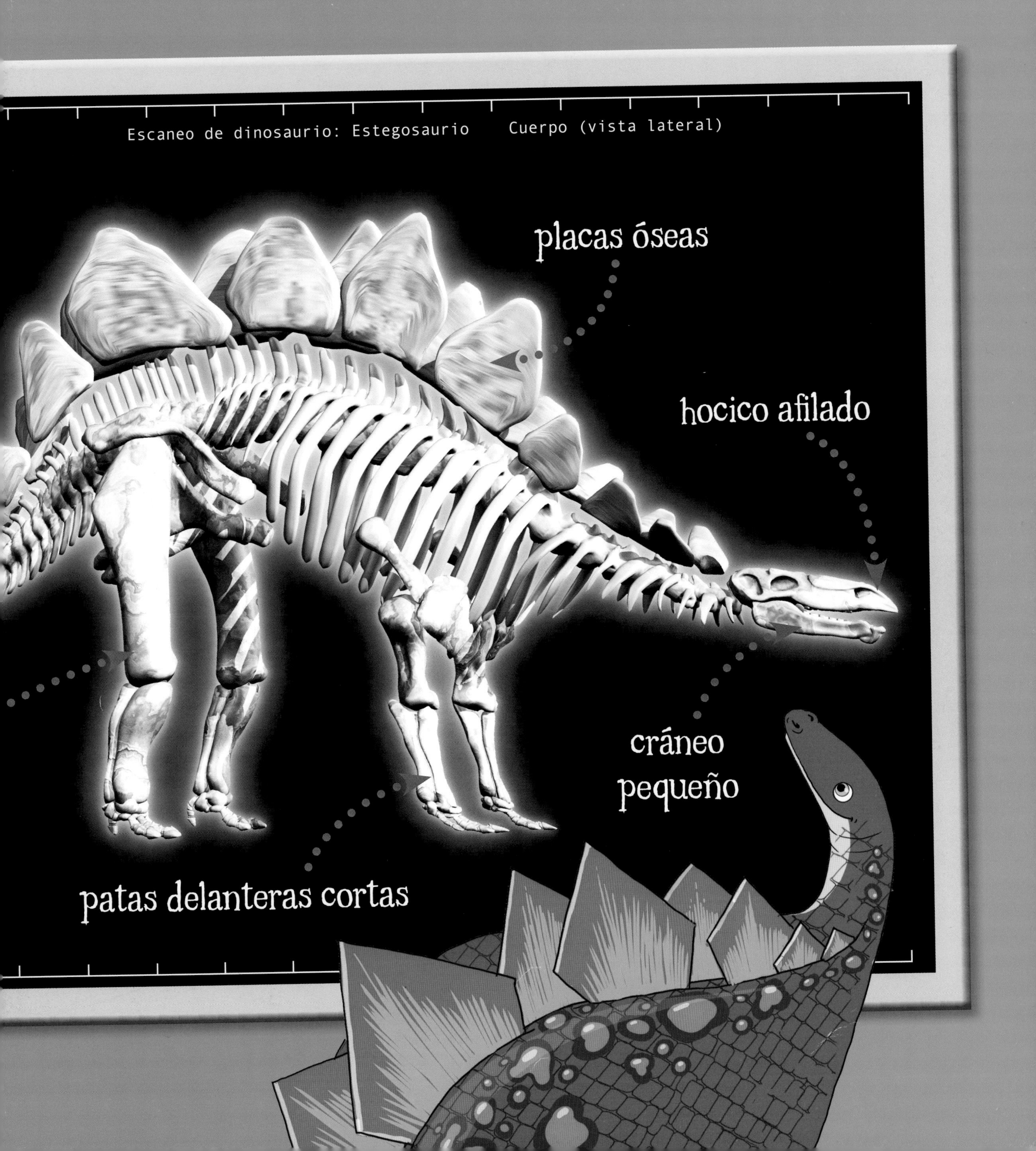
Escaneo de dinosaurio: Estegosaurio
Cuerpo (vista lateral)
placas óseas
hocico afilado
cráneo pequeño
patas delanteras cortas

PASAPORTE

Estegosaurio

(ES-TE-GO-SAU-RIO)

SU NOMBRE SIGNIFICA "REPTIL CON TEJADO". LOS CIENTÍFICOS CREÍAN QUE SUS PLACAS IBAN ACOSTADAS, COMO TEJAS.

PESO 5 TONELADAS

LONGITUD 9 METROS

ALTURA 3 METROS

HÁBITAT BOSQUES

DIETA HELECHOS, HOJAS, AGUJAS DE PINO

S<STEG<<ESTEGOSAURIO<<<<<<<<<<<<34263954302375<<<<<<<<<<48273526291083546>>>>>>>>